पहाड़ी बघल्याणी

१

श्याम काव्य संग्रह

कविराज

स्व. श्याम लाल गौतम "कविराज" (जन्म: 09/01/1934; देहांत: 05/09/2005)

सुपुत्र स्व. पं० तुलसी राम गौतम

ग्राम- कोटला, डाकघर- दाड़लाघाट, तहसील- अर्की, जिला- सोलन, हिमाचल प्रदेश - 173202

पहाड़ी बघल्याणी

www.wkrishind.in

ISBN:

स्व. श्याम लाल गौतम "कविराज"

ग्राम- कोटला, डाकघर- दाड़ला, तहसील- अर्की, जिला- सोलन, हिमाचल प्रदेश - 171202

विषय-सूची

प्रकाशित सामग्री

म्हारा हिमाचल (पहाड़ी काव्य संग्रह) के अतिरिक्त पंच जगत, हिमभारती, हिमाचल जनता, हिमाचल पोस्ट, इत्यादि पत्रिकाओं एवम् दैनिक पत्रों में समय-समय पर प्रकाशित पहाड़ी काव्य-रचनाएँ।

अन्य उपलब्धियाँ

पचास के दशक के प्रारम्भ में खड़ी बोली में कविताएँ लिखनी प्रारंभ की। 'कालान्तर में अर्थात् साठ के प्रारंभ में पहाड़ी की और प्रवृत हुआ। सन् सत्तर के प्रारम्भ में आकाशवाणी शिमला तथा भाषा-कला एवं संस्कृति विभाग के माध्यम से पहाड़ी कविता का प्रसारण किया तथा राज्यस्तरीय पहाड़ी कवि गोष्ठियों/सम्मेलनों में पहाड़ी कविता के दिगज्जों से परिचय के बाद एक नवीन अनुभव की प्राप्ति हुई। नब्बे के दशक के प्रारम्भ से जलन्धर दूरदर्शन के आमन्त्रण पर समय-समय पर हिम-कलश कार्यक्रम में हि. प्र. का प्रतिनिधित्व किया।

दुनियाँ ते न्यारा

...

सारी दुनियाँ ते न्यारा।

अए हिमाचल म्हारा।।

...

बर्फे की ढकी जाओ जेबे उच्ची-२ धारा ।

तेबे देखणे खे लगो ए हिमाचल प्यारा।।

...

एथोरिया नदिया दिन रात बैन्दिया।

दूर जाई मैदाना खे पाणी देंदिया।।

...

अए स्वर्गोरा तारा ये हिमाचल म्हारा।

सारी दुनियाँ ते न्यारा अए हिमाचल म्हारा।।

...

एतीरे लोक कमाई करी खाओ।

सुखी-दुखी दिन आसी की बिताओ।।

...

कामो दे लगी रओ दिन रात सारा।

सारी दुनियाँ ते न्यारा अए हिमाचल म्हारा ।।

...

घणे-2 जंगला दे बसीरा हिमाचल।

परदेशिया रा दिल लगी देखणे खे पल-२।।

...

गर्मी दे बदी जाओ एथोरी बहारा।

सारी दुनियाँ ते न्यारा अए हिमाचल म्हारा।।

...

पहाड़ी अए बोली म्हारी हिन्दी अए भाषा।

करी लणा ऐतरा प्रचार सारे एवे आसा।।

...

मिली जुली करी लणा काम कार सारा।

सारी दुनियाँ ते न्यारा अए हिमाचल म्हारा।।

– कविराज

महंगाई

....

बोलो ए लोक एबे आसे केई जाईए।

खाई दिते आसे ऐसे महंगाईये।।

...

न लुण रया सस्ता न तेल।

सबी चिजा रे बड़ी गए सकेल।।

...

सबी चिजा रे पाओ चड़ी गए आसमाणे।

बोलो एबे यो गरीब कई जाणे।।

...

केथी ज्यादा वर्षों ए केथी ए कम।

एता गला रा अए म्हारे जिऊएदे गम।।

...

बड़ी चिन्ता दे एओ राती प्याईया।

कामे नी म्हारी मेहनता आईया।।

...

क्या खाईए और क्या बचाईए।
रोणा पड़ोए ऐबे आपणी कमाईए।।

...

बोलो ए लोक ऐबे केई जाईये।
खाई दिते आसे ऐबे महंगाईये।।

...

सब्जी भी महंगीए, महंगीए दाल।
बिना पैसे खरीदणेरी अए हड़ताल।।

...

आटा भी महंगा ए और महंगा ए चावल।
किंया देओ लोक ऐबे पतिले दे उबाल।।

...

महंगी ए शाकर और महंगी ए चीनी।
ऐबे नी खाणे री रही शौकीनी।।

...

महंगा अए दूध ऐबे महंगी ए चाय।
ऐबे नी पीणे री से मौज अए।।

...

महंगा अए डालडा महंगा अए किऊ।

खरीदणे खे नी बोलदा गरीबा रा जीऊ।।

...

छोले बी महंगे, महंगा अए बेसण।

प्याज भी महंगा ए और महंगा अए लसण।।

...

आपणा खर्चा किंया घटाइये।

मनोय मलेखा किंया मिटाईये।।

...

बोलो ए लोक ऐबे आसे कई जाईये।

खाई दिते आसे ऐसे महंगाईये।।

...

बणो रे जानवर बी अए बघेरे।

कोई करो दिने ज्वाड कोई करो नेरे।।

...

राती सुंरारी ज्वाड़ दिने बान्दरा री बाण।

थकी गए म्हारे दौड़ी-दौड़ी की प्रांण।।

...

बोलो तूसे ऐबे आसे केई जाणे।

सरकार पनी देन्दी इना खे काणे।।

...

मिली जाओ आसा खे थोड़ी जी छूट।

मचाणे नी देणी आसा इना ते लूट।।

...

संऊदा नी सुखों दे आसा रे रजाइए।

आपने जिऊए खे आसे किंया मनाईए।।

...

बोलो ए लोक ऐबे आसे कई जाईए।

खाई दिते आसे ऐसे महंगाईये।।

...

खुली जाओ कुछ ऐड़े रूल।

ठीक हुई जाओ व्यापारीया रे सूल।।

...

लगी जाओ ऐती कुछ पाबंदी।

हुणी सरकार री बड़ी अकलमन्दी।।

...

ठीक लिखी देओ सारे पाव ताव।
सबी दूकाना दे रेटा री लिस्ट लगी जाव।।

...

क्या करो सरकार बी बेचारी।
कुदरता री मार अए सबी ते पारी।।

...

माणु मेहनती करो चाए दूणी।
पर परमेश्वरो री किती ई हूणी।।

...

रुकी नी कदी परमेश्वरो री किती।
म्हारी उम्र तो ईयां ई बिती।।

...

आदमी तो अए पाणीयो रा बुलबुला।
चली नी सकदा एती कदी भी खुला।।

...

श्याम ऐबे हरि गुण गाइए।
आपणा जिऊ शान्ती दे मनाइए।।

...

बोलो ए लोक ऐबे आसे केई जाईए।

खाई दिते आसे ऐसे महंगाईये।।

– कविराज

नेता जी सुभाष

...

नेता जी थे म्हारे सुभाष।

याद करी तिना खे हुइगे उदास ।।

...

तिनारा जन्म हुआ अठारहा सौ सतानवे।

खुशी हुइगे सोर भारतो रे माणुए।।

...

सुणी की सुभाष जी रा भाषण।

हिलकी जाओ था अंग्रेजी सिंघाषण।।

...

म्हारे सुभाष जी रा भाषण था बड़ा तगड़ा।

तिने खुल्ला दित्या अंग्रेजी राजो खे रगड़ा।।

...

जेल बी गए पर निकलीगे बारे।

फिरंगी हैरान हुई गए सोर।।

...

तुसे खून देओ माँ दिलाणी आजादी।

अंग्रेजी हकुमतो री करनी बरबादी।।

...

जेला ते निकले बणे पठान।

करी नी सकी पुलिस पछ्याण।।

...

पुलिस रइगी देखदी सुभाष गया निकली।

लगी गई अंग्रेजा री जीहवा दे पिपली।।

...

दिले-दिले गए अंग्रेज घबराई।

एबे एथोते नठणे री म्हारी बारी आई।।

...

फसी गए पुलिस बिच मंज धार।

निकले सुभाष जी काबुल कंधार।।

...

चली गए जर्मन ओर जापान।

तेती कित्या आजादीयारा काम महान।।

...

गुलामी यारे किऊ एते आजादीयारी अच्छी छा।

दिती सबी भारत वासीया खे ये ही सलाह।।

...

सुभाष जी रे पिताजी खे थी ए आस।

किती मेरे बच्चे आई. सी. एस. पास।।

...

सुभाष जी रे पिताजी थे अंग्रेजा रे गुलाम।

करो थे अंग्रेजा खे खुल्ली की सलाम।।

...

थे म्हारे नेता जी बड़े अकलमन्द।

पिता जी री गल थी तिना खे न पसन्द।।

...

सन उन्नीसौ बेताली गया आई।

नेता जी आजाद हिन्द सेना बनाई।।

...

आजाद हिन्द सेना करीगी कमाल।

लड़दे-लड़दे आइगी इम्फाल।।

...

आसा खे हुइगा तेबे ये शोक।

जेबे सुभाष जी हुई गए लोप।।

...

ऐबे नी राखणी सुभाषो री आस।

श्याम जी हुइगे बड़े निरास।।

...

नेता जी थे म्हारे सुभाष।

याद करी की तिना खे हुइगे उदास।।

– कविराज

निम्बली

...

ढकी दित्या बादले सूरज आकाशे।

पाणी एती बरसो नी देखो तमाशे।।

...

निम्बल भी हो थे पाणी बी बरसो थे।

पर एड़े नी एती, कदी माणु तरसो थे।।

...

ऐड़ा नी हुआ एती पहले अन्धेर।

जो बरस्या नी सुरगो ते पाणी एक सेर।।

...

ए गल हुइरी एबेई नौखी।

बिना एता बरखा ते हुई गई औखी।।

...

सरकार भी लगी री पर कितना की करो।

इतने जिऊआ रा पेट किया परो।।

...

सतासी तो सुखा गया क्या करेगा अठासी।

ऐ गल हुई गई ईतिहासो दे ख़ासी।।

...

निम्बल देखी की सब हुई गए निराशे।

क्या करो सरकार क्या करूं आसे।।

...

ढकी दित्या बादले सूरज आकाशे।

पाणी एती बरसो नी देखो तमाशे।।

...

क़ुदरता रे आगे सब गए आरी।

सुकी गई अरी भरी धरती म्यारी।।

...

केथी आईया बाड़ा केथी पढ़या सुका।

कर्म हीन माणुआ तुं कमाई मुक्या।।

...

बडया आदमियां खे नी पड़या कोई फरक।

जिमीदारा रा बेड़ा हुई गया गरक।।

...

बड़े आदमी तो महंगी बी खोओगे।

पर गरीब आदमी भजदूर केई जाओगे।।

...

'श्याम' ऐबे कुछ भी करी सकदे नी आसे।

होई कुछ सकदा नी देखो तमाशे।।

...

ढकी दित्या बादले सूरज अकाशे।

पाणी ऐती बरसो नी देखो तमाशे।।

– कविराज

म्हारे पशु

...

पशुआ ते ओ ए काम कार सारा।

चलदा नी पशुआ ते बिना जिमदारा।।

...

पशुआ ते बिना ओ मुश्किल जीणा।

ओ पशुआ ते बिना जिमदार इंणा।।

...

तेसरे करे जो ओ डांगर ज्यादा।

तेसखे उई जाओ मुखता फायदा।।

...

क्या घोड़ा क्या भेड़ बाकरी।

करो सेवा सब म्हारे घरोरी।।

...

पशुई म्हारा कर कबीला।

पशुई म्हारा पैसा घेला।।

...

सभी देशी गाईं खे टिका लगाणा।
तेबे देखो कितना फायदा हुई जाणा।।

...

नई नसलारी गाए बाच्छी राखी लणी।
दूध घिऊ खाणे री नन्द करी लणी।।

...

जेबे आसा मुख़्ता दूध घियु खाणा।
तेबे आसा मुख्ता काम कमाणा।।

...

बिना खाए म्हारे काम केथा ऊंणा।
मुश्किल ऊई जाणा आसारा जिऊंणा।।

...

देखो सरकारे दो मिला रे अन्दर।
खोली राखे पशुआ खे दवा केंद्र।।

...

जेबे सरकारा ते कुछ पायदा ऊठाणा।
तेबे देखी आसा कितना उच्चा उठी जाणा।।

...

मरने खे गाई जिऊणे खे गाई।

देखो कितना भला करो यो भाई।।

...

पशु सेवा दे लाई देना तन मन सारा।

तेबे श्याम कल्याण ऊई जाणा म्हारा।।

...

पशुआ ते ओ अए काम कार सारा।

चलदा नी पशुआते बिना जिमीजारा।।

- कविराज

मन मानियाँ

...

करी नी सको आज मनमानियां;

पईले ते होशियार म्हारी आज की जनानियां।।

...

पईले अनपढ़ थी डरो थी जनानियां;

मरद नरदया था करो था मनमानियां।।

...

आज पढ़ी लिखी गए सब नर नारियां;

दूर हुई गई सब पिछली बीमारियां।।

...

आज भी नशे दे हुई करी चूर।

जबरी जनानियां खे करो मजबूर।।

...

कोई मांगो दाईज ज्यादा कोई मांगो पैसे;

आज के जमाने रे हाल चाल ऐसे।।

...

बडा लालची है आज का जमाना;
थोड़े जे लालचो दे काई देओ जनाना।।

...

केथी सैरा बुरा केथी अए सासु।
दया रे आखी दे आऊंदे नी आसु।।

...

सासा भी जनाना अए बहु भी जनाना।
तेबे कंऊ देओ सब बहुआ खे ताना।।

...

कुछ आए समझकार जनाना मर्द;
समझो सेओ एकी दूजे रा दर्द।।

...

लणे देणे रा लोभनी हुणा चाहियो अन्दर;
जाईकी ब्याह करो देवत्यारे मन्दर।।

...

ये गल लगोए आसाखे सोणी।
लणे देणे री गल नी ऊणे देणी।।

...

कई या दिना ते बिगड़ी री ये रिवाज।

धीरे–धीरे ई सुधरना ये समाज।।

...

श्याम ऐबे चलणी नी किसी री मनमानियां;

पढ़ी लिखी म्हारी आज की जनानिया।।

...

करी नी सको कोई आज मनमानियां;

पईले ते होशियार म्हारी आज की जनानियां।।

– कविराज

चन्दू की लम्बरदारी

...

स्तोटी एक ग्राम कहिये, चन्दू की है लम्बरदारी।

पारबतू ठकरानी है बच्चू करे नखाणी।।

...

लड़की की ए शादी, करे पाप कटे बड़े भारी।

परंतु बेचारी की हुई, शादी संकट कारी।।

...

कटूम्भ कबीला मुकर गया, भोल राम ने मदद कराई।

देकर के विस्वास डरको, पसल से बारात मंगवाई।।

...

पसल से जब बारात चली, हई बड़ी बधाई।

१२ बजे पसल से चलकर, ४ बजे सतोटी पहुंचाई।।

...

स्तोटी में जब बारात पहुची, सुनी एक अजब कहानी।

रखें गे बारात को बाहर, पूरण ने ए दिल में ठाणी।।

...

चली बारात जब खाना खाने, हुई बड़ी हैरानी।
न बैठने को आसन मिले, न पांव धोने को पानी।।

...

खाना खाने के पश्चात, हुई लगन की त्यारी।
निचे आसन को बिछाकर, बिठाली बारात सारी।।

...

लगन से जब बारात उठी, कासीराम को दया आई।
ठंड मे क्यों मरते हो, घर चलो मेरे भाई।।

– कविराज

आज का दृश्य

...

देखा आज का एक नया दृश्य।

जिसका तुम्हें सुनाऊँ किस्सा।।

...

पाठ करने बैठे थे मन्दर।

थी हँसी सबके अन्दर।।

...

था साथ एक ऐसा व्यक्ति।

थी उसकी कुछ थोड़ी गलती।।

...

पाठ में बैठी थी जो दगड़ी।

माला हम सब ने थी पकड़ी।।

...

माला हम सबकी थी पक्की।

थी उसकी कुछ थोड़ी कच्ची।।

...

कच्ची माला जो टूटी उसकी।
बनी सहायक कुछ देर गौ मुखी।।

...

आखिर मिला एक ऐसा मौक़ा।
दे गई गौ मुखी उसको धोखा।।

...

दे गई गौ मुखी श्राप ठुकराकर।
गिर गए माला के दाने जमीन पर।।

...

इससे काम करना नहीं है बेहतर।
गिने माला को दाने मिले पचहतर।।

...

लगा जा के फिर वह रोटी बनाने।
लगा दाल में ज्यादा पानी करके पकाने।।

...

उठे हम पाठ से बाहर खाना खाने।
लगे पानी में दाल के दाने तरने।।

...

दूसरे दिने मुखिया की मरजी में आई।

जिसने आलू और कद्दू की सब्ज़ी बनाई।।

...

उठे हम पाठ से जब खाना खाने।

लगा दिल हमारा भी मचलाने।।

...

इतना ही किस्सा 'श्याम' कवि ने लिखा।

जो की अपनी आँखों के सामने देखा।।

– कविराज

प्रिय दर्शनी इंदिरा (पहाड़ी)

...

इंदिरा तू औरत नहीं शेर थी।

कायर नहीं बल्की दिलेर थी।।

...

कुटी-कुटी की आओ थी राजनिती यारी चाल।

तू नेहरू री बेटी नी थी एक लाल।।

...

तूं जो बोलो थी पूरा करी की रूको थी।

आसे तो क्या तांगे दुनिया झूको थी।।

...

सन् १९७१ रा दे कित्या पाके जो हमला।

उए भाग २ बणया देश बंगला।।

...

तेरे सामणे कोई शत्रु नी था टिक पाता।

लगो थी तूं जग जननी जगतो री माता।।

...

इकतीस अक्टूबर सन् १९८४।

छाई सारी दुनिया दे एक उदासी।।

...

तेरे मरने री ख़ुशी नी ऊआ था गम।

याद रखूँगे तदुए तक जिऊंदे हम।।

...

तूं मरी नी अमर आए एबू भी।

तेरे किते दे काम आसे भूलणे नी कदी भी।।

...

शुरू किते दे काम जो रई गए अधूरे।

प्रभू देओ बल राजीव करोगे पूरे।।

...

तेरे मारने वाले थे दो अंगरक्षक।

एओ अंगरक्षक नहीं पर थे भक्षक।।

...

एक था बेअन्त दूजा था सहबन्त।

हुआ इना दुष्टा रीया गोलिया ते अन्त।।

...

हिम्मती री भरपूर थी तूं खासी।

थी तूं दुर्गा थी रानी झाँसी।।

...

गुट निरपेक्ष देशो री थी तूं परधान।

थी म्हारे भारतो री एक बड़ी शान।।

...

पर मौती ते बगैर कोई नई रहै।

रावण बली भी मरी की गए।।

...

जो आज आया से काल चली जाणा।

मौत आणे खे तो लगी जाओ बहाणा।।

...

'श्याम' करोए प्रभु जी ते प्रार्थना कई भान्ती।

मिलो प्यारी इंदीरा जी री आत्मा खे शांति।।

...

कुदरती री न जाणे क्या मेहर थी।

एक इंदिरा जी रे जाणे खे क्या देर थी।।

...

इंदिरा तूं औरत नहीं शेर थी।

कायर नहीं पर दिलेर थी।।

- कविराज

प्रिय दर्शनी इंदिरा (हिंदी)

...

इंदिरा तूं औरत नहीं शेर थी।

कायर नहीं पर दिलेर थी।।

...

कूट-कूट कर आती थी राजनीती की चाल।

तूं नेहरु की बेटी नहीं थी एक लाल।।

...

तूं जो कहती पूरा करके थी रुकती।

हम तो क्या तेरे आगे दुनिया थी झुकती।।

...

सन (1971) इक्कतर में पाक ने किया जो हमला।

हुए भाग दो बना देश बंगला।।

...

तेरे सामने कोई शत्रु नहीं था टिक पाता।

थी तूं जग जननी जगत् की माता।।

...

इकतीस अक्टूबर सन उन्नीसौ चौरासी।
छाई सारी दुनिया में थी एक उदासी।।

...

तेरे मरने की खुशी नहीं हुआ था गम।
याद रखेंगे जब तक जिंदा हैं हम।।

...

तूं मरी नहीं अमर है अभी भी।
तेरे किए कार्य हम ना भूलेंगे कभी भी।।

...

शुरू किए कार्य जो रह गए अधूरे।
प्रभु दे बल राजीव करेंगे पूरे।।

...

तुझे मारने वाले थे दो अंगरक्षक।
ये अंगरक्षक नहीं पर थे भक्षक।।

...

एक था बेअंत दूसरा सतबंत।
तेरा हुआ इन दुष्टों की गोलियों से अंत।।

...

हिम्मत से भरपूर थी तूं खासी।

थी तूं दुर्गा थी रानी झांसी।।

...

गुटनिरपेक्ष देशों की थी तूं प्रधान।

थी हमारे भारत की तूं बड़ी शान।।

...

पर मौत के बिना न कोई रहे।

रावण जैसे बली भी मर गए।।

...

जो आज आया उसे कल है जाना।

मौत आने को तो लगता है बहाना।।

...

"श्याम" करता है प्रभु जी से प्रार्थना कई भांति।

मिले प्रिय इंदिरा जी की आत्मा को शांति।।

...

कुदरत की जाने क्या मेहर थी।

अभी इंदिरा जी के जाने में बड़ी देर थी।।

...

इंदिरा तूं औरत नहीं शेर थी।

कायर नहीं पर दिलेर थी।।

– कविराज

तुन्दणी रे मठो दे देवी भागवत

...

जाई लणा आसा तुन्दणी रे मठे।

लगी रे ऊणे तेती लोक कठे।।

...

शिवजी रे मन्दरे लखियो रे आंगणे।

लगी रया देवी भागवत सामणे।।

...

व्यास जी गद्दिया दे बैठी रया शास्त्री।

कढ़े हुई रे साधु संत बड़े कर पात्री।।

...

देवतेया री वाणी सुणी आई रया सतयुग।

छिपी रया कुछ दिन सामणे ते कलियुग।।

...

जुग-जुग जियो म्हारे ये बाबा लक्खिया।

जिने हिंदू धर्मों री मर्यादा रखिया।।

...

ज्ञान भरी लक्खियो री सारी गला गाढ़िया।

भागवत तुन्दणी कदी लगो बाड़िया।।

...

बागला री इज्जता सारी ऐती राखिया।

लाखो री ढेरी पांदे खेलो बाबा लखिया।।

...

बारा महिने लगी रौ बाबे रे लंगर।

माणु तो क्या रोज रजो डांगर।।

...

आपु अन्न खांदा नी लोका खे खलाओ।

बाबे रा ये उपकार रोज आगे आओ।।

...

साधु तो बहुत है पर एडे कम।

जो धर्मों रे कामों दे लगी रौ हरदम।।

...

धार्मिक साधुआ री हो ज़्यादा गिनती।

श्याम करो रोज भगवान जी गे बिनती।।

...

गांवा रे लोका रा है बड़ा हाथ।

जिन्हें शुभ कामो दे देई राख्या साथ।।

...

वारी दिते सारे आसे लखियो रे हठे।

करी दिते सारे एत मन्दरो दे कट्ठे।।

...

जाई लणा आसा तुन्दणी रे मठे।

लगीरे हुणे लोक तेती कठे।।

– कविराज

शिमला

...

शिमला शहर म्हारा पहाड़ो पांदे बसीरा।

माल रोड़ गिरजा बड़ा सोणा सजीरा।।

...

है म्हारा शिमला पहाड़ो री राणी।

गर्मी री छुट्टि आसा शिमले विताणी।।

...

गर्मी दे शिमले री ठण्डी हवा खाणी।

छुट्टिया री नन्द आसा मौजा दे मनाणी।।

...

दूरो ते लगो एड़ा शिमला खूब आसीरा।

आकाशवाणीया दे ढोल खूब बाज़ीरा।।

...

कलकत्ते, बम्बई ते भी माणु एती आओ।

गर्मी दे शिमले री रोणक बदी जाओ।।

...

कईया किसमा रे लोक कपड़े पाओ।

रंग बरंगा सारा शहर सजी जाओ।।

...

पहड़ो पांदे शिमला बड़ा खरा टबीरा।

काली बाड़िया दे कालिया रा मन्दिर सजीरा।।

...

दो जून १९७२ दे भूटो भी आया था।

शांतियारा आसा साथ हाथ मिलाया था।।

...

सारे शिमले रातिने चक्कर लगाया था।

नब्बे हजारा आपणा बन्दी छुड़ाया था।।

...

"श्याम" ये शिमला ज्यु आसा सबीरा।

अनाडेल कैलाश नगर बसीरा।।

– कविराज

आसा रे बण

...

जाई लणा बणों दे लाई लणी डाली।

तनो मनो ते आसा लणी से पाली।।

...

डाल शंगार ये म्हारे इना पहाड़ा रे।

इना ते बिना गुजारे हुन्दे नी परिवारा रे।।

...

खुशिया खे लकड़ी, गमिया खे लकड़ी।

करी लणी बणो री देखभाल तगड़ी।।

...

करे-करे कदर आज कारखाने री।

बिगड़ी गी हवा आज सारे ज़माने री।।

...

साफ हवा लऊं आसे सारे इना डाला ते।

बडणे नी चाहिओ आसा कदी डाल थाला ते।।

...

डाल कोई कम नी डाल अये भगवान।

ईना ते बग़ैर म्हारी रन्दी नी जान।।

...

घाओ खे बण लकड़ी खे बण।

कऊँ करो इनारा नाश जण।।

...

डालो रिया जड़ा माटी राखो पकड़ी।

एतते बगैर आसा फसी जाओ मकड़ी।।

...

आसा लकड़ी रा ज्यादा खर्च नी करना।

आपणा हिमाचल डाल लाई-२ भरना।।

...

जाई लणा बणो दे लाई लणी डाली।

तनो मनो ते आसा लणी से पाली।।

...

खाली जगा देखी की लाई देओ डाल।

बछाई देओ पहाड़ा पान्दे बणा रा जाल।।

...

सरकार भी हर साल बण उतसव मनाओ।
गांवो दे आसा खे डाल रे बारे समझाओ।।

...

प्रदेश भी आपणा बण भी आपणे।
फेर कऊँ बाडणे, देऊँ आसे सामणे।।

...

पीपलो री डाली ओ चाहे ओ करयाली री।
ए सब निशाणी ए पहाड़ी हरियाली री।।

...

'श्याम' बणो ते बगैर पाणी नी बरसो।
त्रा-त्रा करदे माणु सारे तरसो।।

...

आओ मिली जुली लाई लणी डाली।
तनो मनो ते आसा लणी से पाली।।

– कविराज

कारगिल युद्ध सन - 1999

...

अरे पाक तू अपनी चालाकी से आजा बाज।

न कारगिल तेरा होगा न ही होगा दरास।।

...

तू बार-बार अपनी दिखाता है होशियारी।

अरे मूर्ख तुझे अपनी इज्जत नहीं है प्यारी।।

...

अपनी शराफत का जिनसे तू करता था दावा।

शोक कि आज वही तेरा सुन रहे है बुलावा।।

...

तू बार- बार जो भेजता है भाड़े के टट्टू।

देख लिया तूने ये सब हैं कितने निखट्टू।।

...

शराफत की तुने न कभी रीति निभाई।

हमने दिल्ली से लाहौर बस भी चलाई।।

...

कश्मीर पर किया तूने हमला कई बार।

लेकिन हमारे जवानो ने चटाई तुझे धूल बार-बार।।

...

हमारी शराफत को तूने समझा कमजोरी।

इसी ना-समझी में तूने कर दी सीना जोरी।।

...

लेकिन भारत माता के ये बहादूर सपूत।

बन गए है तुझे यमराज के दूत।।

...

न जाने तू किन ख़्वाबों से इस तरफ आया।

क्या पता नही था तुझे ये कर देंगे मेरा सफाया।।

...

हम फिर भी कहते हैं, अब भी तू मान जा।

हमारी ताकत को अब भी तू जान जा।।

...

हमने दोस्त समझा, गलती की, धोखा खाया।

पीठ में ख़ंजर भोंकने से तू अब भी बाज न आया।।

...

भारत भूमि को सदा अपने जवानों पर नाज है।

इस सरजमी ने सदा पैदा किए जांबाज हैं।।

...

कश्मीर से कन्याकुमारी तक अखंड देश हमारा है।

हम सब है हिंदुस्तानी, यही हमारा नारा है।।

...

धन्य है वे माता-पिता जिन्होंने ऐसे पुत्र जाए।

मातृ भूमि पर शहीद हुए पर पीठ दिखा न आए।।

- कविराज

दाड़ले री घाटी

...

वार पार धारा बिचे दाड़ले री घाटी।

बड़ी उपजाऊ आए एथोरी ए माटी।।

...

चिक्णीएं माटी एती लम्बे-लम्बे डोरे।

दाण्यारे परी जाओ बड़े-बड़े बोरे।।

...

ज्यादा कम बरसो फर्क नी पढ़दा।

डोरुवा दे बेजे रा दाणा नी सढ़दा।।

...

कोटला, स्यार हो चाए खाता सुली।

पजो एती फसल सारे ते खुली।।

...

आए बावड़ीया बथेरीया पाणीयो रा नाला।

देवी देवत्यारे मंदिर एक धर्मशाला।।

...

लाला दिल्तु मलो रा आए ए सबूत।

ल्याए गाँधी, सुभाष, नेहरू रे बूत।।

...

जमीना री मची जाणी एबे अफरा-तफरी।

सुली यारे आडे लगी समिंटो री फैक्टरी।।

...

जमीन नी मिलणी एबे एती सस्ती।

चारो पासे बढ़ी जाणी माणुआरी बस्ती।।

...

करोडा रूपया री एती फैक्टरी लगणी।

हजारा लोका री ऐती बेकारी घटणी।।

...

अर्की तहसीलाराजिऊ म्हारा दाड़ला।

बसी जाणा एती लोक आई करी बारला।।

...

इच्छा पूरी हुई जाणी म्हारे एबे दिलारी।

मांग मंजूर हुई जाणी एबे उपतैहसीलारी।।

...

सबी मेहकमे रे आए एती दफ्तर।

रओ एती सबी छोटे-बड़े अफसर।।

...

वार पार सड़का ते छोटा जा बाजार।

प्यागा-सांजा देखणे री आओ बहार।।

...

"श्याम" सभी चीजा मिलो एथोरिया हाटी।

लंगणी नी पढ़दी आसा अर्की री घाटी।।

...

वार पार धारा बीचे दाड़ले री घाटी।

बड़ी उपजाऊ आए एथोरी ए माटी।।

– कविराज

दाज

...

दाज देणे री रीवाज बदणे लगीरी म्हारे।

हुई जाणे एतकी आसे बरबाद सारे।।

...

इतना लओ आपणे जिऊदे मान।

आसा नी लणा ज्यादा कदी दाज दान।।

...

करी लणा आपणे ए जिऊदे ज्ञान।

सबी दाना ते बड़ा तो हो कन्या दान।।

...

ओर दान बित देखी की करो।

घर बार बेचि की कर्ज नी भरो।।

...

इतना की देओ जितना की सरो।

दुजे देखी की कदी नी करो।।

...

ज्यादा देई की बी आगे नी रजदे।
राम-राम जिऊदे कदी नी भझदे।।

...

गरीबी यारा तो लोक रोणा रोए।
पर दाज देन्दे तो दुजेते आगे ओए।।

...

दाज लणे री बदी गी इतणी रफतार।
मांगो फरीज, टेलिविजन मोटर कार।।

...

किया हुणा आसा लोकारा जिऊंणा।
जेबे मांगी देणा जंवाइयों दुणा तिऊंणा।।

...

कइए जगा तो एड़ी गल बी आई।
दाज कम मिल्या तो जनाना दिती काई।।

...

दुजे रे बालको जिऊए जानी ते जाणा।
दाजो रे लोभो दे नी लई लओ प्राणा।।

...

लगाई देओ सरकार दाज देणेदे पाबन्दी।

तेबे हुई जाणी सरकारा री बड़ी अकलमन्दी।।

– कविराज

चाचा नेहरु

...

थे चाचा नेहरु जी शान्तिया रे दूत।

ये मोती लाल जी रे एक ही सपूत।।

...

हुआ था इना रा जन्म सन १८ सौ उन्नानवे।

चौदह नवम्बर से सारे-भारतो दे मानूये।।

...

इना री पालना हुई बड़ी लाड़ प्यारो दे।

बादो ते मशहूर हुए सारे संसारे दे।।

...

बचपनो दे घरे पड़े फेर गये बलायतम।

तेती जाई की पास किती वकालत।।

...

जेबे वकालत पढ़ी की वलायती ते आए।

गाँधी जी रे इने हाथ मजबूत कराए।।

...

थे बापू जी सोठी और एक धोती धारी।

बणी गए नेहरु जी भी खददर धारी।।

...

रेशमों रे टाले छाड़े खददरों रे पाये।

गांधी जी रे विचारों साथे विचार मिलाए।।

...

महला रो मौज छाड़ी आई गए बारे।

आजादीया री खातिर लड़े मुलखो दे सारे।।

...

जेल कटी माण्डले कदी देहरा दूणी।

बाल खड़े उईंगे इना गला सुणी।।

...

थे यो आपणियां गला रे पक्के।

छुड़ाई दिते अंग्रेजी राजो रे छक्के।।

...

विदेशी रा माल छाड़ी माल लया आपणा।

घरे-2 दसी दित्या उन सूत कातणा।।

...

कदी हड़ताल चली कदी सत्याग्रय।

भारतो रे नेता लोके बड़े दुःख सये।।

...

उन्नीसौ बेतालिया दे लग्या भारत छोड़ो नारा।

एत दे था नेहरू जी रा सहयोग सारा।।

...

आया जेबे सन उन्नीसौ सैताली।

अंग्रेजी हुकुमत दिती बाहरे निकाली।।

...

उन्नीसौ सैतालिया दे हुआ आजाद हिन्दुस्तान।

नेहरू जी बणे देशो रे पहले प्रधान।।

...

बणीरये नेहरू जी प्रधान पूरे सोला साल।

उधोग कारख़ाने लगे हुई गी कमाल।।

...

नेहरू जी रा स्वभाव था सभी ते न्यारा।

बच्चेया रा लाडला बच्चेया रा प्यारा।।

...

नेहरू जी रे राजो दे गल हुई खास।
हुआ म्हारे भारतो रा नया विकास।।

...

“श्याम" थे चाचा नेहरू जी शान्तिया रे दूत।
ये मोती लाल जी रे एक ही सपूत।।

– कविराज

आटे री ठाकरी

...

रही गए मरे सपने अधुरे।

उन्दे नी एबे घरों रे पुरे।।

...

कल्ला आऊं माणु नौकरी नी चाकरी।

मिलदी नी त्वारी आटे री ठाकरी।।

...

तीन मेरे बेटिया एक मेरे माठा।

कमाऊं एं मुखता पर लगदा नी गाठा।।

...

ज्वाणस मेरी देखणे री जटी।

कामों री तिखी पर गला री खट्टी।।

...

किंया लणी तेसा ते मा उरनदारी।

सिरो पांदे आए सारी जिम्मेवारी।।

...

तेसा रे सदके तेसा रे प्रतापे।

करने नी पड़दे माखे करो रे श्यापे।।

...

दोए मेरे भाई एक है आऊं।

बाई दित्या जुदा एबे कई जाउं।।

...

करी दित्या जुदा बिना कसूरे।

हुन्दे नी एबे घरों रे पूरे।।

...

रई गए मेरे सपने अधूरे।

उन्दे नी एबे घरों रे पूरे।।

...

कविता लिखी करी खर्च पगोऊंए।

खर्च नही पुगो एती इकी-2 रोऊएं।।

...

लिख्या पढ़या रा आए ये जमाना।

मर्द हो या चाहे हो जनाना।।

...

अनपढ़ आए आज पशुआरे समान।
उन्दा नी तिना रा केथी बी सम्मान।।

...

अच्छा हुआ जो फैमली प्लान आया।
आसे बी जाई की अस्पताला रे कराया।।

...

नसबन्दी नी करान्दा तो गया था मारा।
हुई जाणे थे आजो खे बच्चे दस बारा।।

...

याद रणी थी ये गल हमेशा जिगरे।
मरी जाणे थे आजों खे बच्चेया रे फिकरे।।

...

न जुड़णे थे जोड़े न कताबा कापिया।
रोणा पड़ना था सिरो पांदे हाथ छाड़ी पापिया।।

...

"श्याम" एक दो बच्चे होए तुरे।
तेबेही ओए करो रे पुरे।।

...

रई गए मेरे सपने अधूरे।

ऊदें नी एबे घरों रे पुरे।।

– कविराज

आसे अलबेले

...

आसे अलबेले-अलबेले ही रये।

सु:ख आसे देख्या नहीं दु:ख ही सय।।

...

ज्युणे री खुशी नी मरने रा गम नी।

माये-बाओ तो क्या पर सास-सैरे बी कम नी।।

...

प्यार तो क्या करना पर बोलने पनी देन्दे।

दान्दा ते बारे जीब खोलने पनी देन्दे।।

...

आसा खे संकटा पांदे संकट आए।

फेर बी आसे अलबेले रये।।

...

आसे अलबेले अलबेले ही रये।

सुख आसे देख्या नी दुख ही सये।।

बढ़दी मंहगाई छोटा परिवार

...

पाओ ताओ चढ़ीगे जनसंख्या बढ़िगी।

देशो खे नई एक समस्या खड़िगी।।

...

सारे परिवारा रे परिवार बढ़िगे।

भाई-भाई आपू बिचे खूब लड़िगे।।

...

ज्यादा परिवारा दे ज्यादा दोष बड़ो।

तेबे आपू बिचे पति पत्नी बी लड़ो।।

...

बड़े परिवारों दे रओ सब दुःखी।

छोटे परिवारो दें रओ सब सुखी।।

...

जेसरे घरे जो बच्चे आठ-दस।

तेसरी जिन्दगी हुई मुक्की बस।।

...

एक बच्चा बोलो मा पैट कोट लणी।

ओर बच्चे बोलो आसा टाई साथे लणी।।

...

बापू जी खे ये गल मुश्किल पड़नी।

इतने बच्चे री इच्छा किया पूरी करनी।।

...

मंहगाईयां रा चक्कर ज्यादा तंग करदा।

ज्यादा बच्चे या रा पेट आसानी दे नी भरदा।।

...

पढ़ाईयां लिखाईयां रा खर्च नी पुगदा।

तोला-तोला खून रोज बापुजी रा सुकदा।।

...

जेसरे घरे जो बच्चे दो-तीन।

तेसरे कटदे सुखो दे दिन।।

...

पाइयो जेसरे करे जो थोड़े ओ बच्चे।

मंहगाईयां दे तेसरे दिन कटो अच्छे।।

...

आओ पाइओ एबे आसा आगे बड़ी जाणा।

आपणा परिवार आसा छोटा रखाणा।।

...

"श्याम" छोटा परिवार आये सुखो रा आधार।

परिवार नियोजनों रा करी लणा प्रचार।।

...

पाओ ताओ चढ़ीगे जनसंख्या बढ़िगी।

देशो खे नई एक समस्या खड़िगी।।

- कविराज

नठदी बरसात

...

ब्वा भई वा तू नठदिये बरसाती।

नठदी-नठदी करीगी तूं म्हारी बरबादी।।

...

इतना नी सोचिगी तूं आपणे जिउए।

मुखता बरसणे ते यो मरीजाणे मुए।।

...

ख्याल करना था ता जिउदें आपणे।

फेर भी आऊणा मां इनारे साम्णे।।

...

दिन रात लगिया जो एती चढ़ी।

डोरुआ दे नी रई म्हारे फसल खड़ी।।

...

केथी घर स्कूल ढले केथी ग्वाइणी।

येड़ी नी ऐती कदी बरसात आउणी।।

...

कुदरता री पड़ीगी ऐड़ी कुछ मार।
पाणियो दे डुबी गए कई परिवार।।

...

एडा नी हुआ कदि पैले गजब।
नुक्साण हुईंगा अरबो खरब।।

...

ज्यादा बरसी की तैं आसे दिते नाथी।
ना दिने निम्बल ना कित्या राती।।

...

ब्वा भई वा तू नठदिये बरसाती।
नठदी-नठदी करीगी तूं म्हारी बरबादी।।

...

बरसी गया पाणी एती बेतशा।
छाई गई सारे देशो दे निराशा।।

...

ये गल हुई गयी मारे एतीखासी।
सतासिया रा रिकार्ड तोड़ी गया ठासी।।

...

आदिया बरसाती दे पड़ीगा था सूखा।

पैले ही था जिमीदार कमाई मुका।।

...

भादों महिना नठी करी असोज आया।

इतना बरस्या एती खूब सताया।।

...

जेबे लगोथी स्वर्गों दे बिजली कड़वणे।

"श्याम" जाणो थे माणु आसे मरी जाणे।।

...

क्या करना आसा क्या सरकारा।

बरसणे ते मरीगे माणु-पशु हजारा।।

...

बरसात बणीगी थी आसा खे घाती।

सोचदे रऊ थे ये आसे दिन राती।।

...

ब्वा भई वा तू नठदिये बरसाती।

नठती-२ करोगी तूं म्हारी बरबादी।।

बादला ओ बादला

...

बादला ओ बादला मोया आइजा।

एसा सुखी धरतियां दे पानी बरसाइजा।।

...

तेरे बिना एती लोग बहुत रहे तरसी।

बहुत दिन हुए तूं नी रया बरसी।।

...

तेरे बिना बरसे पाणी गए सुकी।

डोरुआ री खेती बी सारी गई फुकी।।

...

दोनो महीने सुके गये हाड़, सावणों रे।

बहुत इन्तजार किते लोके तेरे आओणे रे।।

...

सवज भादो भी चली जाओ सुके।

बस फेर एती आसे कमाई मुके।।

...

काले-2 बादला रे टिल्ले ल्याइजा।
खुले दिलो ते पापिया पानी वरसाइजा।।

...

बादला ओ बादला मोया आइजा।
एसा सुखी धरतियां दे पानी बरसाइजा।।

...

गड़गड़ाए तूं भारी पर बरसादा नी।
खुली की बरसो तो लोग तरसा दा नी।।

...

जग पाटी किती लोके शिवजी डबोए।
तेबे तेरे एती केथी दर्शन होए।।

...

ए गल याद रणी आसा खे खासी।
पुलणा नी आसा खे सन सतासी।।

...

बहुत पाणी बरसो थे पहले बरसाती।
दिस्सो थे नी तारे सरगो दे राती।।

...

कइया दिना ते आया तूं एती पुली की।

फेर पनी बरसदा एती मोया खुली की।।

...

पाणियों री बुन्दा नही रइया केथी नाले दे।

मरी जाणे सारे पशु म्हारे एती पाले दे।।

...

कठणे नी यो दिन एबे एती काला दे।

का पात रया नी ऐबे केथी डाला दे।।

...

"श्याम" तरस देया माणुआ ज्यादा नी तरसाइजा।

इना सुकया क्यारा दे पानी बरसाइजा।।

...

बादला ओ बादला मोया आइजा।

एसा सुखी धरतियां दे पानी बरसाइजा।।

– कविराज

पहाड़ी नारा

...

देखणे खे बाँकिया छैल छबीलिया।

म्हारे हिमाचलो रीया नारा अलबेलिया।।

...

कोई लम्बी-पतली कोई हट्टी-कट्टीयां।

हर एकी कामो खे है पूरी जटियां।।

...

हासणे री खिचखिच चिटें सजी दान्दडू।

हाथा दे सजी रौ लाल-पीले बांगडू।।

...

सिरो पांदें चादरू केथी धाठु टोपिया।

पहाड़ा बिचे सजी रौ लगो पूरी गोपिया।।

...

हाथे लंदी खिलणे क़द्धलू दाच दाचडू।

तनो-मनो करी पालो गाय-बैल बाछडू।।

...

करे करो काम घा लकड़ी री बढ़ाइयां।

फेर भनी करदीया आपणी बडयाइया।।

...

काम करो थकी जेबे आई जाओ तंगिया ।

धारा–रीढ़ी बैठी करी गाई लओ गंगीया।।

...

गांवां बिच्चे रहणे वाली रहंदिया नई बेलिया।

देखणे खे बाकिया यो हंस–हंसेलिया।।

...

देखणे खे बाकियां छैल–छबीलिया।

म्हारे हिमाचलो रिया नारा अलबेलिया।।

...

कामों खे मुख्तीया मुसीबता दे पलिया।

बेलिया नी देखदिया ओरे–पोरो गलिया।।

...

देखणा बजार नई गांवा रा जिंदडू।

लेहफ रजाइया छाडी ढकदिया खिंदडू।।

...

देखणे खे जनानिया कामों खे मर्दानिया।
म्यारे तिहमाचलो रीया सारीया जनानियां।।

...

सभी कामा-कारा दे मलाओ कंधे साथे कंधा।
इना ते बगैर म्हारा चलदा नी धन्धा।।

...

"श्याम" हासी-मखौला दे सदा यो खेलिया ।
घूमदी नी ओरे-पोरे कदी भी नी बेलिया।।

...

देखणे खे बाँकिया छैल छबीलिया।
म्हारे हिमाचलो रीया नारा अलबेलिया।।

- कविराज

नपाग

...

तूँ बोलेई माखे नपाग।

मैं कदी खुलाया ताखे साग।।

...

आठ बजे ते पेले नी आउंदी माखे जाग।

चूली दे नी बाली मैं कदी पनी आग।।

...

"श्याम" तो है मेरा नाम।

बहुत करूँ आ आऊं काम।।

...

पर फेर भी करे तूँ माखे बदनाम।

क्या करो एबे एती रईकी श्याम।।

...

बदनाम करने ते तूनी आटदी।

सुखो दे नी मेरे एती रात कठदी।।

...

पिछले जन्मोरा आए ए बदला बाटा।

एते जन्मोदे रहणा आसा दुई खे घाटा।।

...

कदीनी गया तेरे जिउएरा राग।

आपू बणे कामी और माखे बोले नपाग।।

...

तू बोलई माखे नपाग

मै कदी खुलाया ताखे साग।।

– कविराज

मेंबरी रे ख़्वाब

...

बसी गई मेरी जिउए दे गल।

तूं मेंबरी रे ख्वाब छाडी घरों वे चल।।

...

तूं जिउएं रा बुरा नी बोलणे रा कोरा।

लगो एड़े माणुआ खे जिन्दगी दे टोरा।।

...

पराय नी जाणे आसे न जाणे आपणे।

कितीया कविता आसे स्टैजों पांदे सामने।।

...

न कदी पहले डरया न एबे डरदा।

छोटी–मोटी गला री परवाह नी करदा।।

...

लिखी कविता में आपने बलाव री।

लोगा री तो ल्याज क्या किती नी बाओ री।।

...

पीतरे नी बोल्या कदी न बोल्या आंगणे।
कितीया कविता मैं हजारा रे सामणे।।

...

पर करने नी देणी मान्ते कदी पनी मेंबरी।
बैठी करी गाई लणी ठण्डे जिउए गम्बरी।।

...

करो ते भी ज्यादा मेरा गाँव पांदे प्यार।
फेर पनी करदे लोक मेरा अखत्यार।।

...

गाँव रा तो ओ कुता बिल्ला भी तुरा।
माणुआ खे नी चाया में कदी पनी बुरा।।

...

पर ये गल बसीगी मेरे एबे जिउए।
मान्ते खरा तो ये भगत ए मुए।।

...

आए नी इना स्याणा-२ रा इतफाक।
तेबे कंउ नी हुणा मारे गाँव रा मजाक।।

...

जेबे आसा आपू बीचे नाचणा पंगड़ा।

तेबे मारे आगे मेबर कंउ नी आओ लंगड़ा।।

...

"श्याम" तू एड़ी गला दे कदी पनी खेल।

मेमरी रे ख्वाब छाड़ी घरों खे चल।।

...

बसी गई मेरे जिउए दे गल।

तूं मेमरी रे ख्वाब छाड़ी घरों खे चल।।

- कविराज

तूँ बक्के

...

मात्मी बोलो माखे तूं बक्के।

मुख़्ता गलाई की नी तूं थके।।

...

बसो दे लओ तूं जबान राखी।

नई तो तेरा मुं जाणा बाखी।।

...

ना कुछ मिलणा ना मलाणा।

देख्या तां काल पछताणा।।

...

बक्की-बक्की की नी उन्दा तेरे गलो दे पीड़।

पापिया तूं तो लगाई देआ सिरो दे पीड़।।

...

जो तूं ज्यादा जम्पे और आसे।

समझो लोक पागल देखी की तमासे।।

...

मेरीया गला रा नी मानणा बुरा।

आऊं गलाउएं धुरा।।

...

तूं आपू तो बईके पर माखे भी बड़काये।

बोलो मैं तुसे कितने समझाये।।

...

आथ जोडुएं आऊं बार-बार।

ऐड़े माणुएं खे किती नमस्कार।।

...

इना गला सुणी कुछ बोली नी सके।

रइगे "श्याम" जी हक्के-बक्के।।

...

मात्मी बोलो माखे तूं बक्के।

मुख्ता गलाई की नी तूं थके।।

– कविराज

दो बच्चे (छोटा परिवार)

...

भाईयों छोटा टब्बर अच्छा।

ज्यादा फायदा थोड़ा खर्चा।।

...

दो बच्चे दो आपू।

सुखी आमा सुखी बापू।।

...

एतते ज्यादा तो है बच्चे बेकार।

आमा राजी तो बापू बीमार।।

...

किंया कमाणा किंया खाना।

सेठा रा खर्च ज्यादा बढ़ी जाणा।।

...

घरे-2 हुई जाणा सेठा रा राज।

रुकी जाणा म्हारा ये रीति रिवाज।।

...

पिछलिया गला सभी भूली जाओ।

आगे एबे नया समाज चलाओ।

...

कम करो खर्च ज्यादा करो कमाई।

तेबे म्हारा देश आगे बढ़ी जाणा भाई।।

...

देखो रूस, अमेरिका कितने आगे बढ़िगे।

चन्द्र लोको रिया गल्ला करने लगीगे।।

...

इना विदेशिया खे आसा ऐड़ा दसी देणा।

भई तुसा ते पीछे एबे आसा भी नी रहना।।

...

बोलने लगीरी म्हारी सरकार बी सच्चा।

हुणा चाईयो नी दुई ते ज्यादा बच्चा।।

...

भाईयों छोटा टब्बर अच्छा।

ज्यादा फायदा थोड़ा खर्चा।।

आऊं कऊं सताया

...

मैं कोई सताया नी आऊं कऊं सताया।

एते गला रा माखे बड़ा गुस्सा आया।।

...

माया रा सुख नी, न कित्या बाओरा।

भाईये-भरजाईये बी, खेलया पासा दाओरा।।

...

बलदा साई बुड़या आऊं सारी उमर।

काड़या नी किने मेरी पीठी रा गुम्बर।।

...

खून देई पालया में सारा टबर।

मुसीबता दे पूछी नी किने मेरी खबर।।

...

किती नी मेरे कामों री कदर।

दित्या नी माखे कदी पैनर्णे खे खदर।।

...

भाई मेरे जब दण्ड भाभीया रे नखरे।

करी दिते तीनों भाई आज आसे बखरे।।

...

आमा बापू ते ज्यादा देई दित्या मासीए।

छाडी दित्या घर-बार जीमी डोरू आसीए।।

...

आमा रा दूध नी बापूए री थपथप।

सासुआ रे आसू नी सैरे री गपठप।।

...

आपणा नी समझया न कोई पराया।

“श्याम” ये दिन माखे फेर कऊं आया।।

...

मैं कोई सताया नी, आऊं कऊं सताया।

एते गला रा माखे बड़ा गुस्सा आणा।।

– कविराज

बसन्त

...

आया बसन्त! आया बसन्त!

हुईगे खुशी सब राजा और रंक।।

...

सर्दीया रा या खेल निराला।

केथी पड़ी बर्फ तो केथी पड़ेया पाला।।

...

सर्दीये आई सब जीऊ सताए।

धूप सेखणा सबी खे भाए।।

...

ठंडी-ठंडी पौण सरसर चलो थी।

सारे शरीरो खे ठंडा से करो थी।।

...

शिशिर ऋतु होर ठंडा महीना।

मुश्किल हुआ सभी लोका रा जीऊणा।।

...

आई गया एबे ऋतुराज बसन्त।

कॉंबी-कॉंबी जाड़े रा हुई गया अन्त।।

...

चऊँ कनारे खुशिया लहराइया।

सुकीया दिया कलिया बी मुस्कुराइया।।

...

आपणी आपणी सबी सुणाई लणी तान।

भौरेया बी मस्तिया दे गाई लणे गान।।

...

ऋतुआ बीचे ऋतु है बसन्त महान्।

देशा बीचे देश म्हारा हिन्दुस्तान।।

...

छैल-छबीले म्हारे गबरू जवान।

हासी करी देशो पान्दे देई देंदे जान।।

...

मेहनती है एथोरे मरद-जनाना।

इनाई ये भारत महान बणाणा।।

...

रऊंगे जे आपू बिचे मिली करी सबी।

किसी पांदे मुसीबत नी आओगी कदी।।

...

जाड़े ते बाद बसंत जिंआ आओआ।

सबी तकलीफ रा अंत हुई जाओआ।।

...

तिंआई म्हारा सारा दुःख बी टलणा।

जेबे आसा सबी एक बणी करी चलणा।।

...

"श्याम" एईं शिक्षा देओ एब सन्त।

प्रेमभाव करो सारे कष्टा रा अन्त।।

...

आया बसन्त! आया बसन्त!

हुईगे खुशी सब राजा और रंक।।

– कविराज

होली

...

आओ आपु बिचे सब खेलुंगे यार।

होलीया रा आज आया त्योहार।।

...

आई होली! आई होली।

प्यारो दे खेलो बणाई की टोली।।

...

केथी तो है हिंदू-मुस्लिम भाई।

होर केथी सिख-जैन-इसाई।।

...

बणाई करी आपणी आपणी टोली।

पुकारने लगीरे होली है! होली।।

...

राधा श्यामे बी खेली थी होली।

खुशिये की भरी दिती सबीरी झोली।।

...

लाल-हरी-नीली-पीली गुलाल।

खेली-खेली करी हुईगी कमाल।।

...

होलीया ते मिलोई आसा खे ये शिक्षा।

करो नी किसी ते द्वेष होर ईर्ष्या।।

...

करने खे आपणा मुलख आजाद।

देशभक्ते कितिया जिंदगिया बरबाद।।

...

सीमा पांदे वीर जवाना री टोली।

खेलोई आपणे खूनो री होली।।

...

सन्त महातमेया रा म्हारा ये देश।

संसारो खे शांतिया रा देओ संदेश।।

...

है क्या ये आतंकवादो रा नारा।

जेबे भारतवर्ष है एक म्हारा।।

...

कश्मीर हो या हो कन्याकुमारी।

भारतवासी है सब नर-नारी।

“श्याम” आओ आसे सब करूंगे ये काम।

आतंकवादो रा मिटाई देऊंगे नाम।।

...

होलीया सबी खे है ये ही संदेश।

आपु बिचे मिलीजुली रओ सारा देश।।

...

याद कराणे खे प्रेम होर प्यार।

हर साल होलीया रा आओ त्योहार।।

...

आओ आपु बीचे खेलुंगे यार।

होलीया रा आज आया त्योहार।।

– कविराज

सर्दी आई

...

सर्दी आई चेतो भाई।

ओढ़ो ऊपर भरी रजाई।।

...

सर्दी का है खेल निराला।

कहीं बर्फ कहीं पड़ता पाला।।

...

सर्दी ने सब जीव सताए।

धूप तापना सब को भाए।।

...

शीतल वायु सर सर चलती।

जो इस तन को ठण्डा करती।।

...

चल रही है ये शिशिर ऋतु।

ये सब ऋतुओं में है शीतु।।

...

आयेगा जब ऋतराज बसन्त।
तब सर्दी का हो जायेगा अन्त।।

...

चारों ओर खुशियां लहरायेगी।
मुरझी हुई कलियां मुस्कुरायेंगी।।

...

अपनी अपनी सब सनायेंगे तान।
भौंरे भी मस्ती में गायेंगें गान।।

...

ऋतुओं में ऋतु है बसन्त महान।
देशों में देश है अपना हिन्दुस्तान।।

...

ठिठक कर सर्दी में याद आई।
ओढ़ लो "श्याम" भरी रजाई।।

...

सर्दी आई चेतो भाई।
ओढ़ो ऊपर भरी रजाई।।

हो सब लिखा पढ़ा

...

छोटा हो चाए कोई बढ़ा।

हो सब एती लिखा पढ़ा।।

...

लिख्या पढयारा अए जमाना।

मर्द हो चाए कोई जनाना।।

...

अनपढ़ खे है बख्त बेबसा।

हर केथी खाओ गलती दे कस्सा।।

...

अनपढ़ अए ज्यादा, पढ़े लिखे कम।

चिट्ठी लिखाणे, पढ़ाणेरा करो थे गम।।

...

पहले न स्कूल थे न आँगनबाड़ी।

करे ई मारदे रओ थे राड़ी।।

...

जदका हुआ ए आपणा राज।

बदली गया एती सारा समाज।।

...

नई मशीना लगी नए कारखाने।

बड्डी नंद आई गई एत जगाने।।

...

रईया नी एती केसी चिजा री दिकता।

हर एक माल आओ चुलीगे बिकदा।।

...

ए गल बुरी नी गल ए तुरी।

पढ़ना लिखना आज जरुरी।

...

पकड़ी-पकड़ी पढ़ाने आसा सारे नसंग।

मिटाई लाणा आपणे माथेरा कलंक।।

...

पहले था जमाना आजो ते पुठा।

दसखत कम जाणो थे लगाओ थे गुठा।।

...

पैले बच्चारी फौज हो थी भारी।

ठगड़े- ठगड़ीया री मती जाओ थी मारी।।

...

न मेहनत मिलो थी न मजदूरी।

परिवार पालणा था बड़ी मजबूरी।।

...

एता गला री हुई गई दी मशहूरी।

सभी कामा ते ज्यादा, पढ़ना लिखना जरूरी।।

...

अनपढ़ आज एड़ा किसदा।

जेड़ा चाकिया दे दाणा पिसदा।।

...

लिख्खा-पढ़या बिचें एबू केरल आगे।

एबे म्हारा हिमाचल भी आई जाणा आगे।।

...

अनपढ़ घरे हो चाए बारे।

फिट-फिट करो लोक सारे।।

...

“श्याम” ए फिकर जिऊए बड़ा।

घरे-घरे परिवार हो लिखा पढ़ा।।

...

छोटा हो चाए कोई बड़ा।

हो सब एती लिखा पढ़ा।।

- कविराज

नशा-पाणी

...

न आऊँ बीड़ी पिन्दा न सिग्रेट।

तेबे बी खुश रओई मेरी तबीत।।

...

मजे दे जागूं आऊ मजे दे सोऊं।

कदी पनी लगदी माखे खौं-खौं।।

...

हुन्दी नी समाजो दे मेरी चर्चा।

ढाईया रुपैया रा बचाऊँ ए खर्चा।।

...

करदा नी आऊँ कदी धूम्रपान।

अच्छा है मेरा खान-पान।।

...

बीडीया रा धुआँ हो चाहे शराबो री बुन्दा।

एतखे कदी मेरा मुड़ नी हुन्दा।।

...

माखे कोई बुरा बोलो चाहे कोई धुरा।
एता गला रा नी मानदा आऊँ बुरा।।

...

ज्वानियाँ रे दिन कटी दिते एबे।
बुढ़ापे रे दिन भी कटी देणे तेबें।।

...

न कुछ ल्याए आसे न कुछ नीणा।
प्यारो दे रहणा आसा प्यारो दे जीणा।।

...

कुदरती मिली रा ए माणुआं रा बाणा।
फेर कऊं एती आसा बुरा करी जाणा।।

...

नशा माड़ाओ चाये ओ मोटा।
आखिर ओ दोनो ही खोटा।।

...

डटी-डटी की जेबे पिणा शराब।
तेबे कऊं नी हुणी मती खराब।।

...

बुरा सुणना ओर बुरा गलाणा।
आपणा अदमीयाँ जिऊ गवाणा।।

...

तंगीया दे रहणे बच्चे और बीबी।
बोतल पिणे खे है नी गरीबी।।

...

घरे नी मिलो कदी पिणे खे छा।
आपणा खर्चा आये चाली पंजा।।

...

घर बाहर करी दित्या सारा तपाह।
फेर पनी करदे आपणी परवाह।।

...

ठेके दे जाई करी पीणा बथेरा।
घरो खे जाणे खे हुई जाणा नेरा।।

...

बोतल लाई करी करना ड्रामा।
न देखणी बैण न देखणी आमा।।

...

एड़ा ए आज काल के जमाने रा सबूत।

लोक जाणी की बणो ए माणुओ ते भूत।।

...

तेबे जो बणीगी आदत पिणेरी।

तेबे नी दिसदी बाट जीणे री।।

...

"श्याम" कितणी लिखो इनारी कवित।

पर बदली नी सकदे एबे ए आपणी रीत।।

...

न आऊँ बीड़ी पिन्दा न आऊँ सिग्रेट।

तेबे बी खुश रओई मेरी तबीत।।

– कविराज

नाटी

...

सीरी रामा बोलुं मामटिया।

हुआ पापी क्या ताखे।।

...

चौदह रुपैटू दिते थे तांगे।

लया सौदा पापी माखे।।

...

आपू तूं छुट्टी दे गया घरा खे।

हुआ बुरा हाल मेरा।।

...

लोका रे पैरे पड़ी करी भी।

दित्ते किने नी पैसे माखे।।

...

तेबे जो ये हाल माखे बित्या।

लिखी लोका री कविता।।

...

लोक खुशी दे आई करी की।

लगे पैसे देणे माखे।।

...

इना पैसे रा सौदा लई करी।

हुईगी देर माखे भारी।।

...

सौदा लई करी घरे जो आया।

दितीया गाली माखे।।

...

तेबे जो ये गल श्यामों खे बीती।

लिखी लोका री गीती।।

...

एबे चाहे तूं मामटीया।

देया करया गाली माखे।।

– कविराज

शराबो रिया बूंदा

...

पी की शराबो री बून्दा।

तुसाखे क्या-क्या हुन्दा।।

...

न कुछ मिलदा न मलान्दा।

जेबा रा पैसा बी सारा लगी जान्दा।।

...

दुई घड़िया रा नसा हुई गए टुन।

नसा उतरया तो हुई गए सुन।।

...

राम हुणा थोड़ा रोग हुणा पलड़ा।

किऊ दूध खाणा नी पी जाणा ठरडा।।

...

कइए बार पड़ो एडा कष्ट सैंणा।

पी दित्या मुखता तो नाला खोत्या रणा।।

...

बोतल नी उजरो तो पीणा आदीया।

बाल बच्चेयारी हुन्दी घरे बरबादीया।।

...

गांधी जी थे इना गला रे खिलाफ।

जिऊंदे हुन्दै आज तो करदे नी माफ।।

...

आज थी गाँधी जी रे उपदेशा दे चलुंगे।

तो फेर भी मुखते फली फुलुंगे।।

– कविराज

पंद्रा अगस्त

...

पंद्रा अगस्त आया पद्रा अगस्त आया।

घरे घरे तिरंगा झण्डा लहराया।।

...

म्हारा तिरंगा झण्डा अए न्यारा।

सभी खे जिऊए ते लगो ए प्यारा।।

...

म्हारे तिरंगे रे रंग ए निराले।

सभी रे मनो खे मोहणे वाले।।

...

बड़े प्यारो दे आपणा झण्डा लहराणा।

आजादिया रा पन्जाऊआ साल मनाणा।।

...

गांधी, सुभाष, नेहरु जी ए लहराया।

अपणा मुल्ख आजाद कराया।।

...

आसे भूली नी सकदे कदी ए शान।
म्हारा झण्डा ऐ सारे देशों दे महान।।

...

झंडे ही आसाखे आजादी दिलाई।
इने ई म्हारी गुलामी मिटाई।।

...

याद करूं आसे एस खे बार-बार।
आए ये म्हारे देशों रा संगार।।

...

"श्याम"जेबे आसा खे संतोष आया।
आसे ए आपणा झण्डा लहराया।।

...

पंद्रा अगरत आया पंद्रा अगस्त आया।
घरे घरे तिरंगा झण्डा लहराया।।

– कविराज

ए दिन कियाँ कटणा

...

औखे सोखे रात कटी, ये दिन किया कटणा।

पटी दित्या पैर एबे, आगे किया छाड़णा॥

...

साफ किती बाटा दे, कांडे किया पडीगे।

आपणे बणाये थे, से आज किया लडीगे।।

...

दुजेरा भरोसा आसा, जियुसे कम राखणा।

ओखे सौखे रात कटी, ये दिन कियाँ काटणा।।

...

म्हैसी रे दूधो खे कोई पनी पुणदा।

दुखों री गला खे, कोई पनी सुणदा।।

...

पता नीए आसा खे, ये शरीर कदी छाडणा।

ओखे सोखे रात कटी, ये दिन कियाँ काटणा।।

...

मनुष्यों री तृष्णा, से कदी पनी मुकदी।

बिना फली डाली, से कदी पनी चुकदी।।

...

"श्याम" इना बिपदा दे, दिन रात चलणा।

ओखें सोखे रात कटी, ये दिन किया कटणा।

- कविराज

आज के बच्चे

...

आज के बच्चे पहले ते अच्छे।

लान्दे लंगोटिया नी पहिनो ए कच्छे।।

...

आसे करू थे सरम पर एओ नी करदें।

आसे डरू थे स्याणेया ते एओ नी डरदे ।।

...

दूरा ते चमको थी म्हारी ए सूरती।

मिलो नी पजामें थे पहिनु थे कुरती।।

...

आज की गल है पहले ते टेढ़ी।

बोलो आमा खे मम्मी, बाओ खे डैडी।।

...

पिछलीया गल्ला नी माठे जाणदे।

म्हारी गल्ला नई छोहटू मानदे।।

...

दूर स्कूल थे न कोई पढाओ था।

माठेया बेटिया खे जीऊणेरा बुरा दाओथा।।

...

का लकही बाडूंथे बारह बरसे।

काम नी करूँ थे तो लगो थे कस्से।।

...

कुटी कुटी की करो थे बूरी आलत।

करी नी सको थे खुलीकी वकालत।।

...

लोकारे बालक हो चाहे ओ आपणे।

आज खुली की जुवाब देओ ए सामणे।।

...

"श्याम" जाओ स्कूले आज के बच्चे।

पढ़ी लिखी करी बणने अच्छे।।

...

आज के बच्चे पहले ते अच्छे।

लान्दे लंगोटिया नी पहिनोए कच्छे।।

Connect with Publisher

Instagram: @wkrishind

Twitter: @wkrishind

Facebook: @wkrishind

Tumblr: @wkrishind

Telegram: @wkrishind

Whatsapp or Call: 09999568276

Email: contact@wkrishind.in

Website: www.wkrishind.in

Milton Keynes UK
Ingram Content Group UK Ltd.
UKHW041850090224
437493UK00001B/25